reportage

LES PAPILLONS

texte de Ralph Whitlock

illustré par Norman Weaver,
Tony Swift, Philip Weare

traduit de l'anglais par
Jacques Vielliard

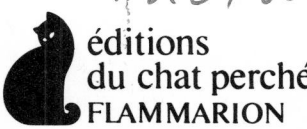

éditions
du chat perché
FLAMMARION

Les Lépidoptères

Les papillons comptent parmi les plus beaux et les plus spectaculaires de tous les insectes. Depuis des siècles, l'homme s'est émerveillé de leurs couleurs éclatantes, de leurs formes délicates et de leurs dessins compliqués. Lorsqu'ils voltigent de fleur en fleur, les papillons paraissent si légers et si gais qu'ils ont été longtemps le symbole de tout ce qui est fugace et libre.

Sous nos climats tempérés, les papillons représentent aussi le réveil printanier de la nature. Le Citron *Gonepteryx rhamni* est un des premiers papillons à apparaître au printemps, car il passe l'hiver déjà sous son état adulte et non sous forme de chrysalide.

Il existe des papillons de toutes les formes et de toutes les tailles. Au total, quelque 20 000 espèces différentes de papillons diurnes ont été cataloguées. Leur taille va de celle des minuscules Polyommates qui font à peine 1 cm à celle des grands Ornithoptères dont l'envergure atteint 25 cm. Tous les papillons diurnes ne sont pas brillamment colorés; certains sont dans les tons bruns et gris, avec un corps renflé comme celui des papillons nocturnes. Il est souvent difficile de distinguer à première vue entre les papillons diurnes et nocturnes. Il existe des « nocturnes » qui ont des couleurs vives et volent de jour, et des « diurnes » qui ne sortent, surtout sous les tropiques, qu'au crépuscule. Néanmoins, la majorité des papillons nocturnes ne sortent effectivement que la nuit, et les diurnes seulement de jour. Les nocturnes ont des antennes larges et plumeuses, alors que celles des diurnes sont longues, minces et renflées à l'extrémité. Les diurnes replient en général leurs ailes au-dessus de leur dos lorsqu'ils se posent, tandis que les papillons nocturnes les étalent à plat. Le corps des nocturnes est généralement plus renflé et plus poilu que celui des diurnes.

Tous les papillons sont inoffensifs, du moins lorsqu'ils sont adultes. Un certain mystère entoure cependant les espèces nocturnes, considérées comme de mauvais augure par quelques superstitieux.

Sur 165 000 espèces de Lépidoptères, selon les estimations actuelles, environ 145 000 sont des nocturnes. Le reste est constitué par les papillons diurnes. Parmi les insectes, l'ordre des Lépidoptères est caractérisé, comme l'indique son nom dérivé du grec, par ses ailes écailleuses. En effet, les papillons portent des milliers de minuscules écailles couvrant leurs ailes et leurs corps. Ce sont ces écailles qui donnent aux papillons leurs vives couleurs. Vues au microscope, ces écailles montrent une forme plate et très régulièrement découpée. Tous les papillons ont quatre ailes, qui forment une paire antérieure et une paire postérieure. Comme celui des autres insectes, le corps des papillons comprend trois parties : la tête, le thorax et l'abdomen. Les papillons possèdent aussi un cycle biologique complexe qui passe par quatre formes distinctes.

Bien que les insectes soient apparus sur terre il y a plus de 300 millions d'années, les papillons sont relativement récents. Les premiers firent leur apparition il y a environ 120 millions d'années. Ces fragiles créatures ont pourtant vécu depuis beaucoup plus longtemps que l'Homme, qui est là depuis à peine 5 millions d'années. Les papillons se rencontrent partout sauf dans les régions polaires, mais c'est sous les tropiques qu'ils sont le plus abondants. Là, le climat chaud et humide a permis l'épanouissement d'une immense variété d'espèces, dont certaines sont parmi les plus richement colorées du monde.

Microlépidoptères
Les Lépidoptères peuvent être divisés pratiquement en trois types. Le premier groupe est celui des Microlépidoptères, qui comprennent les mites et divers parasites des cultures.

Papillons nocturnes
De taille moyenne à forte, les papillons nocturnes comptent sept fois plus d'espèces que les diurnes. Celui-ci est un petit Paon de nuit Saturnia pavonia.

Papillons diurnes
Le dernier groupe des Lépidoptères est formé des espèces qui volent durant le jour. Les papillons diurnes ci-dessus sont des Thècles à W blanc Strymon w-album.

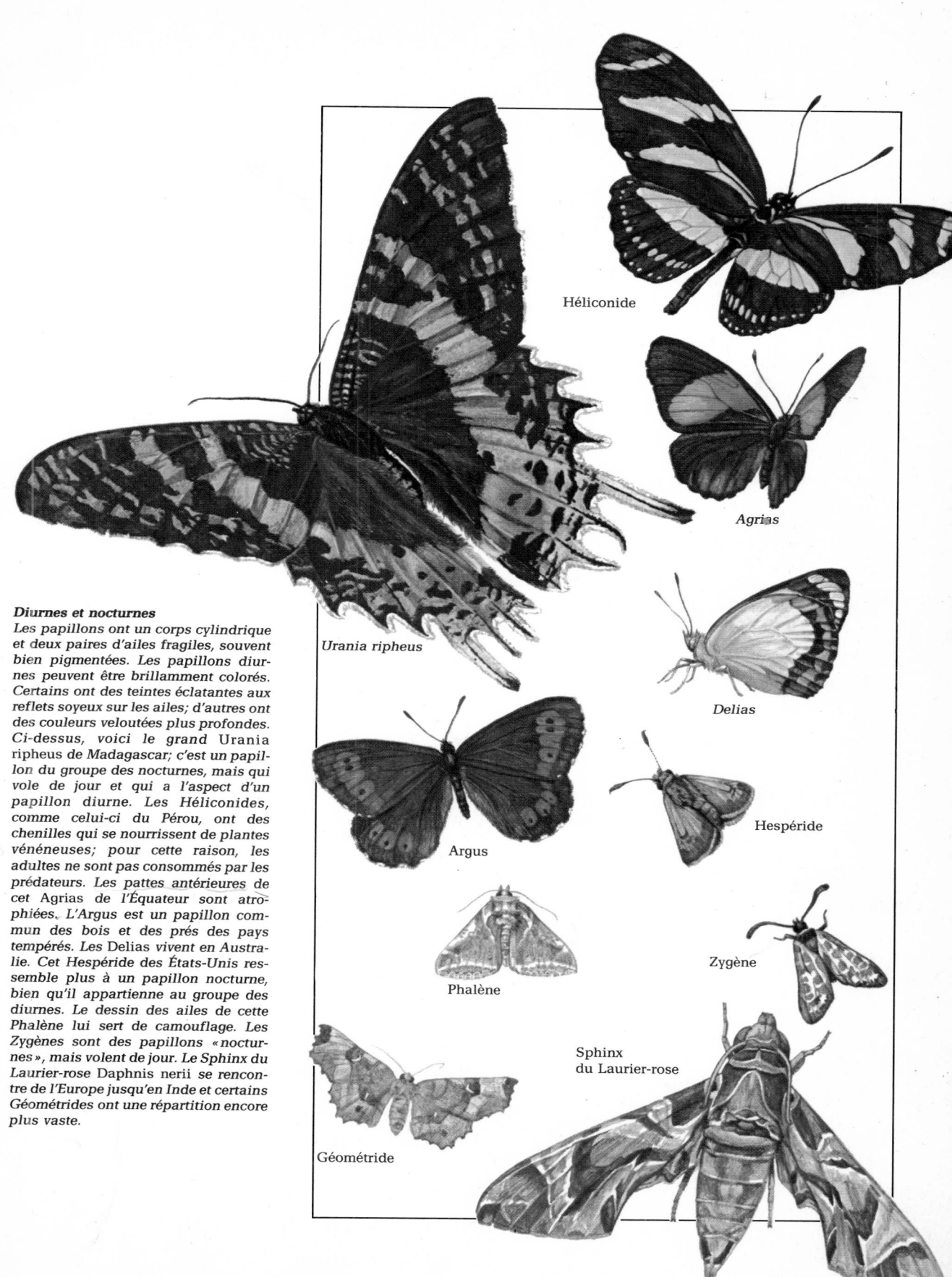

Héliconide

Agrias

Delias

Urania ripheus

Hespéride

Argus

Phalène

Zygène

Géométride

Sphinx
du Laurier-rose

Diurnes et nocturnes

Les papillons ont un corps cylindrique et deux paires d'ailes fragiles, souvent bien pigmentées. Les papillons diurnes peuvent être brillamment colorés. Certains ont des teintes éclatantes aux reflets soyeux sur les ailes; d'autres ont des couleurs veloutées plus profondes. Ci-dessus, voici le grand Urania ripheus de Madagascar; c'est un papillon du groupe des nocturnes, mais qui vole de jour et qui a l'aspect d'un papillon diurne. Les Héliconides, comme celui-ci du Pérou, ont des chenilles qui se nourrissent de plantes vénéneuses; pour cette raison, les adultes ne sont pas consommés par les prédateurs. Les pattes antérieures de cet Agrias de l'Équateur sont atrophiées. L'Argus est un papillon commun des bois et des prés des pays tempérés. Les Delias vivent en Australie. Cet Hespéride des États-Unis ressemble plus à un papillon nocturne, bien qu'il appartienne au groupe des diurnes. Le dessin des ailes de cette Phalène lui sert de camouflage. Les Zygènes sont des papillons «nocturnes», mais volent de jour. Le Sphinx du Laurier-rose Daphnis nerii se rencontre de l'Europe jusqu'en Inde et certains Géométrides ont une répartition encore plus vaste.

Le cycle biologique

Les papillons ne naissent pas d'emblée semblables à de petits adultes. En fait, le papillon définitif ne présente aucune ressemblance avec l'animal qu'il était au début de sa vie. Il passe en effet par quatre phases distinctes et chaque fois sa forme change radicalement d'aspect. Les papillons se forment à partir d'œufs, d'où éclosent des larves appelées chenilles. A la fin de cette étape, la chenille se transforme en une pupe, la chrysalide. Alors, emmaillotée comme une momie dans un cocon qui la protège du monde extérieur, la chenille entreprend une transformation complète. C'est le processus dit de la métamorphose. Lorsque la chrysalide est prête, son enveloppe se fend et il en sort un adulte ailé, entièrement formé. Quelques heures après son émergence, ses ailes ont séché et un nouveau papillon prend son essor.

Le cycle biologique des papillons commence avec la pariade et l'accouplement. Les mâles volent à la recherche des femelles. Les papillons diurnes, qui ont des tendances grégaires, n'ont guère de difficultés à se trouver visuellement. Les couples se rencontrent souvent sur leurs plantes favorites. Les papillons nocturnes, qui sortent dans l'obscurité, utilisent l'odorat au lieu de la vue pour se reconnaître; les mâles sont capables de sentir une femelle à une distance de plusieurs kilomètres.

L'accouplement
Les papillons diurnes comme ce Lysandra bellargus (ci-dessus) font leur cour en voletant au-dessus de la femelle à laquelle ils manifestent de l'intérêt. C'est accolés queue contre queue que l'accouplement se fait, comme chez ces Sphinx du Peuplier Laothoe populi.

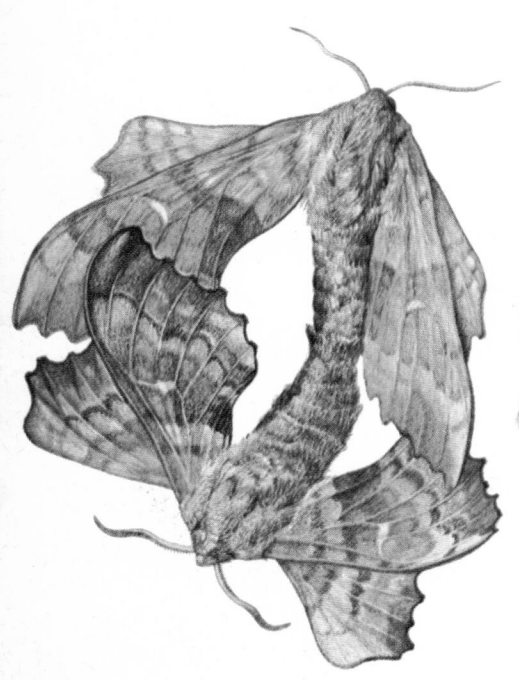

La ponte
Le Monarque Danaus plexippus pond ses œufs au printemps lors de sa migration au Canada et dans le nord des États-Unis; il meurt aussitôt après la ponte. Les œufs des papillons sont minuscules. Ils sont souvent pondus en nombre énorme, car il n'en survit qu'une faible proportion. Les œufs sont déposés le plus souvent sur les feuilles.

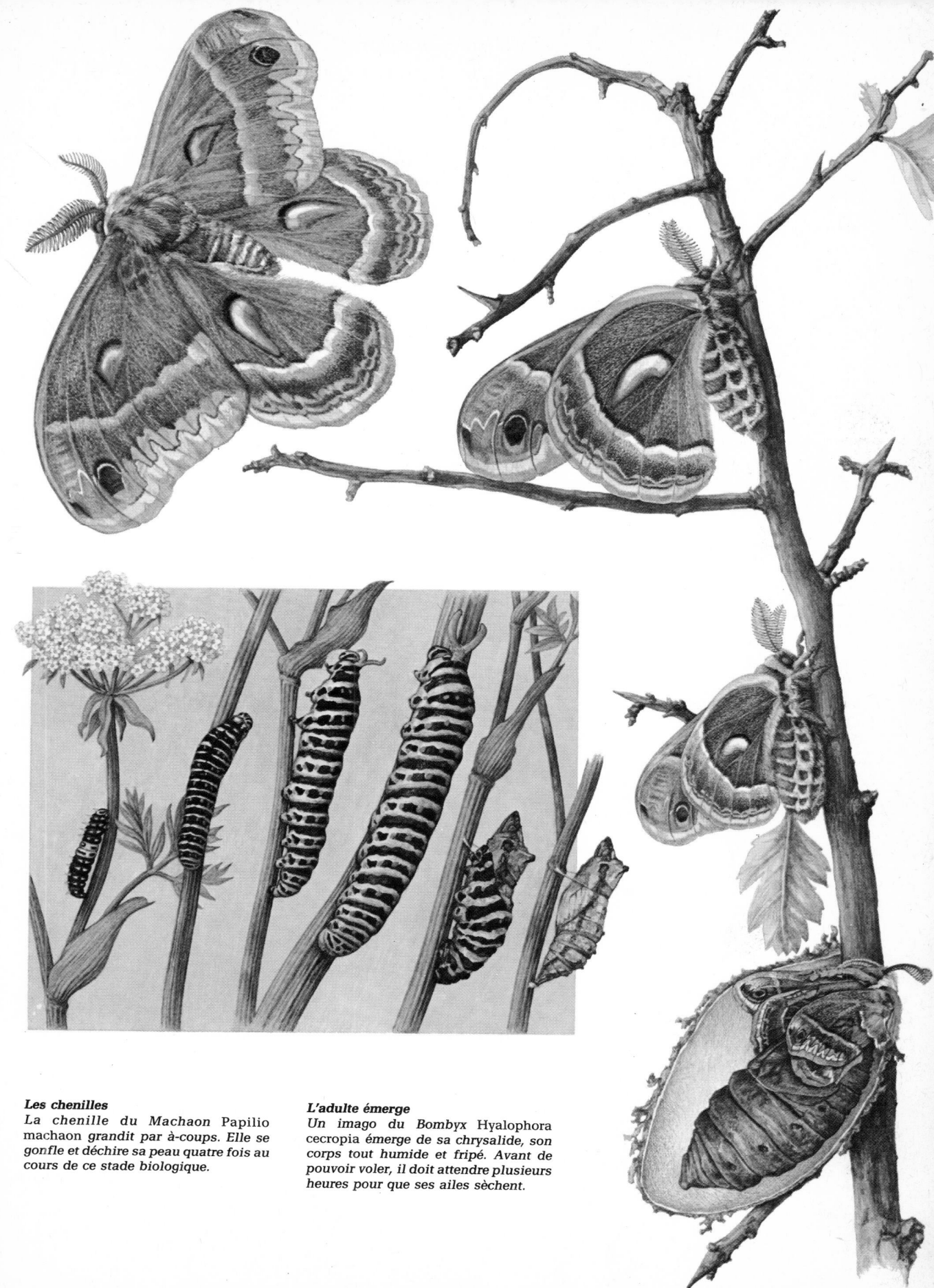

Les chenilles
La chenille du Machaon Papilio machaon *grandit par à-coups. Elle se gonfle et déchire sa peau quatre fois au cours de ce stade biologique.*

L'adulte émerge
Un imago du Bombyx Hyalophora cecropia émerge de sa chrysalide, son corps tout humide et fripé. Avant de pouvoir voler, il doit attendre plusieurs heures pour que ses ailes sèchent.

Œufs et larves

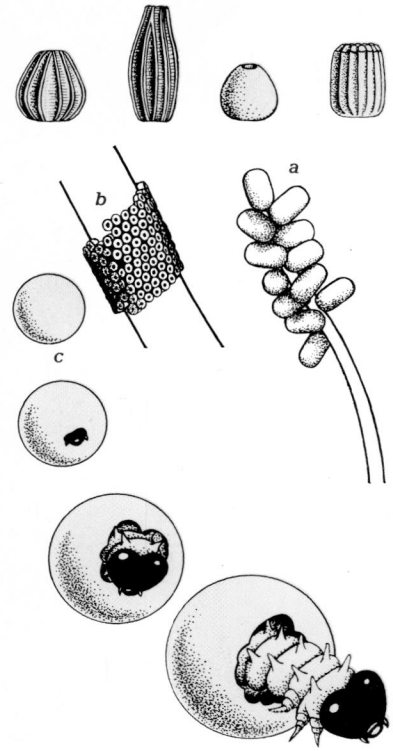

La plupart des œufs de papillons sont de la taille d'une tête d'épingle. Il y a une grande variété de formes selon les espèces. Les œufs sont généralement blancs, crème ou vert clair lorsqu'ils sont pondus, mais foncent peu à peu à mesure que la chenille se développe à l'intérieur. Les œufs sont souvent pondus sur des plantes auxquelles ils adhèrent grâce à une goutte d'un produit qui durcit à l'air. Lorsque les chenilles sont prêtes à éclore, elles dévorent la membrane de l'œuf pour s'y faire un passage.

La principale raison d'être d'une larve est de manger et de croître. Après avoir avalé la membrane de l'œuf, la chenille se met aussitôt à dévorer la plante sur laquelle elle se trouve. La plupart se contentent de manger des végétaux, mais certaines s'attaquent à la laine, aux cheveux et à la peau. Quelques chenilles sont même des prédateurs se nourrissant d'autres insectes. On a découvert récemment une chenille d'une *Eupithecia* qui a surpris tous les entomologistes par la facilité avec laquelle elle attrape les mouches. D'autres chenilles se nourrissent de rayons de miel, de fruits, de graines et même de fibres artificielles aussi peu appétissantes que le nylon et le polystyrène.

Les chenilles processionnaires sont bien connues en Europe méridionale, où on peut les voir aller d'arbre en arbre en grandes colonnes. Ces hordes peuvent causer d'énormes préjudices aux chênes et aux pins. Cependant, si certaines chenilles peuvent être de redoutables parasites, elles sont par contre sous l'attaque perpétuelle d'une armée de prédateurs. Tendres et juteuses, les chenilles sont la proie naturelle des oiseaux, des amphibiens et de divers mammifères, ainsi que de certains autres insectes tels les guêpes parasites et les Ichneumons. Pour se protéger, les chenilles ont adopté divers déguisements et ruses. Certaines échappent en se cachant à l'intérieur des plantes, en imitant une brindille ou un morceau d'écorce, ou encore en faisant le mort. La Grande Queue-fourchue *Cerura vinula* compte sur son aspect impressionnant pour effrayer ses ennemis. D'autres filent de la soie autour des feuilles et les replient en formant une petite tente, à l'intérieur de laquelle elles se nourrissent en paix.

Les œufs
Les papillons ont des œufs de tailles et de formes variées. Certaines espèces telles que le Versicolore Endromis versicolor *(a) et la Livrée* Malacosoma neustria *(b) pondent des œufs en grappes. D'autres, tels que le Machaon (c), déposent leurs œufs isolés.*

Une machine à manger
Les chenilles sont lentes et maladroites. Leur corps est composé de nombreux segments que l'on peut grouper en trois parties. La tête est armée de puissantes mâchoires et d'un appareil buccal complexe, essentiel à son alimentation intense. De près, on peut voir le groupe d'yeux minuscules. Le thorax porte trois paires de pattes, tandis que l'abdomen a quatre paires de fausses pattes garnies de crochets. La chenille respire par les stigmates, pores sur les flancs par où passe l'air qui vient au contact du flot sanguin.

tête — thorax — abdomen

pattes — stigmate — « fausses-pattes »

tête

vue grossie

stigmate section

circulation sanguine

œil simple
mandibule
antenne

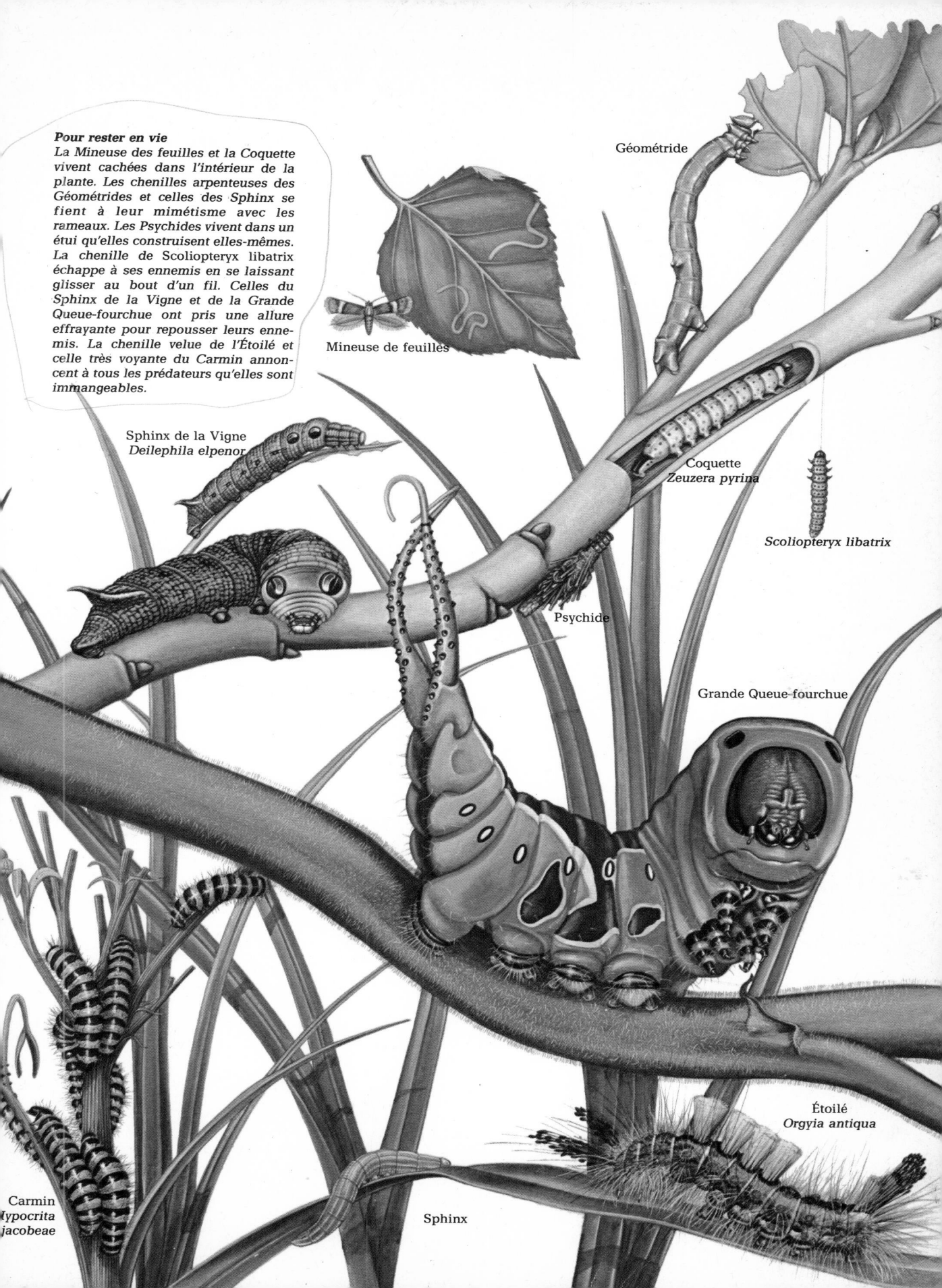

Pour rester en vie

La Mineuse des feuilles et la Coquette vivent cachées dans l'intérieur de la plante. Les chenilles arpenteuses des Géométrides et celles des Sphinx se fient à leur mimétisme avec les rameaux. Les Psychides vivent dans un étui qu'elles construisent elles-mêmes. La chenille de Scoliopteryx libatrix échappe à ses ennemis en se laissant glisser au bout d'un fil. Celles du Sphinx de la Vigne et de la Grande Queue-fourchue ont pris une allure effrayante pour repousser leurs ennemis. La chenille velue de l'Étoilé et celle très voyante du Carmin annoncent à tous les prédateurs qu'elles sont immangeables.

Géométride

Mineuse de feuilles

Sphinx de la Vigne
Deilephila elpenor

Coquette
Zeuzera pyrina

Scoliopteryx libatrix

Psychide

Grande Queue-fourchue

Étoilé
Orgyia antiqua

Carmin
Hypocrita jacobeae

Sphinx

La métamorphose

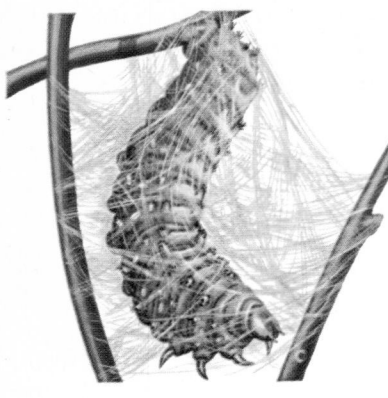

Le filage de la soie
Lorsque la chenille de Samia cecropia est prête à se transformer, elle file une soie épaisse autour de son corps et des tiges des plantes voisines et tisse un cocon où elle se métamorphosera.

Le passage de la chenille pataude au léger et vif papillon est l'un des événements les plus spectaculaires que l'on puisse rencontrer dans la nature. A force de se nourrir, la chenille croît en changeant périodiquement de peau. La plupart des espèces muent ainsi quatre fois. A chaque fois, la chenille est plus grande et plus dodue. A la dernière mue, la peau se fend comme auparavant, mais au lieu d'une chenille, c'est une pupe sans pattes, la chrysalide, qui en sort.

La chrysalide est à la fois un laboratoire miniature et un atelier de théâtre. A l'intérieur, l'ancienne chenille entreprend une transformation complète. La chenille, en dépit de son aspect si différent de celui d'un papillon, possède déjà les organes essentiels qui se développeront chez l'adulte. Ce qui se passe dans la chrysalide est un miracle de chirurgie esthétique. Le corps de la chenille semble être démonté, puis remonté sous une nouvelle forme. Au début, l'intérieur de la chrysalide est réduit à un état surtout liquide; c'est pour cette raison que son enveloppe est résistante et cornée. La forme de cette enveloppe varie selon les espèces, mais elle est souvent assez transparente pour que l'on voie nettement à travers la tête, les yeux, les antennes, le thorax et l'abdomen en cours de formation.

Tant que l'insecte est dans la chrysalide, il reste presque absolument

Cocons et chrysalides
A droite, une chenille de Machaon s'accroche la tête en bas, se dépatouille de sa dernière peau et devient chrysalide. Ci-dessous, voici les chrysalides du Petit Paon de nuit (1), du Monarque (2) et de l'Aurore Anthocharis cardamines (3); celle des Sphinx (en bas) s'enterre.

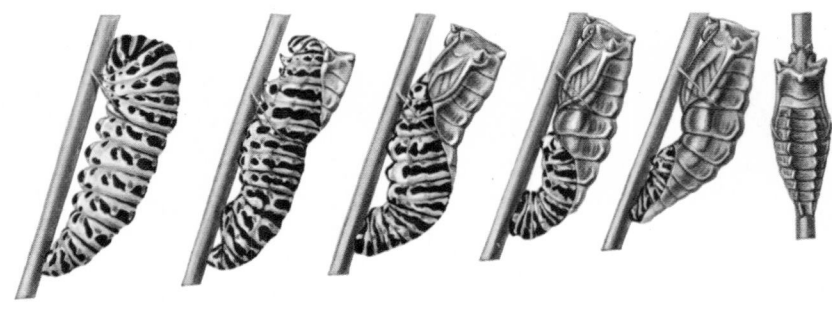

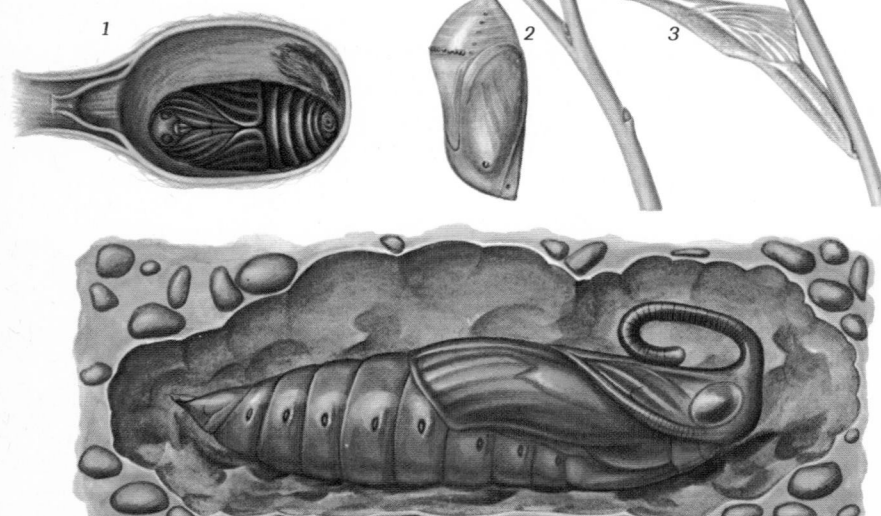

1

2

3

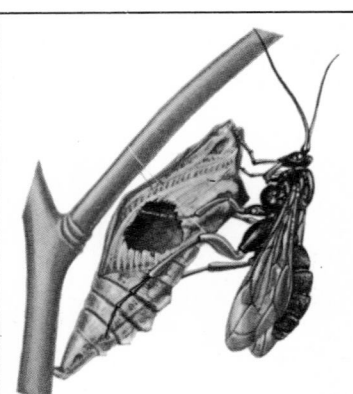

Ici, un Ichneumon vient de sortir de la chrysalide d'un Machaon. Il éclot dans la chrysalide et de développe en la dévorant.

tranquille. Il peut seulement tortiller un ou deux segments de son corps. Puisqu'il ne peut absolument pas se défendre lui-même, sa meilleure protection consiste à rester caché. Beaucoup de chenilles de papillons nocturnes s'enfouissent dans le sol pour se transformer en chrysalides, qui prennent une couleur brun doré et ressemblent ainsi à de petits cailloux. Le mot chrysalide vient d'ailleurs du grec «chrysos» qui signifie doré. D'autres chrysalides se drapent dans un cocon de soie, dont le plus bel exemple est évidemment celui du Ver à soie *Bombyx mori*. Les cocons paraissent peu appétissants aux prédateurs; de plus, la soie collante forme un enchevêtrement décourageant à défaire pour atteindre la chrysalide elle-même. Les chrysalides fixées aux plantes se camouflent en imitant leur support, rameaux ou feuilles.

Le temps passé sous forme de chrysalide varie beaucoup. Certaines espèces ne restent sous cet état que quelques jours ou quelques semaines. D'autres peuvent passer ainsi tout l'hiver, en léthargie. Mais de toute façon, l'étonnante métamorphose se déroule entièrement dans la chrysalide. Lorsque l'enveloppe s'ouvre, il en sort un papillon adulte humide et chiffonné, mais parfaitement formé. Il reste immobile jusqu'à ce que ses ailes se soient séchées et durcies; alors, il s'envole pour la dernière étape de sa vie.

Émergence de l'adulte
Ci-dessus, un Paon de jour Vanessa io *vient juste de se libérer de son enveloppe et reste à attendre que ses ailes sèchent. Ci-dessous, un Machaon du Japon se force un passage hors de sa chrysalide (1-3). Lorsqu'il émerge, le papillon nouveau-né est fragile et incapable de voler (4); il est donc la proie sans défense des prédateurs. Quelques heures plus tard, ses ailes se sont étalées et durcies et c'est un papillon parfaitement adulte (5) qui prend son essor.*

Un moment de gloire

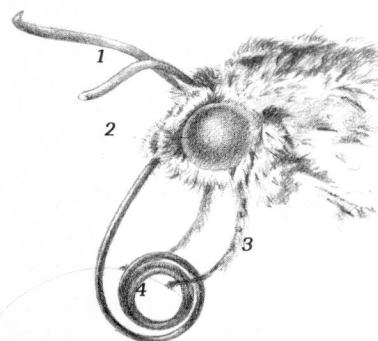

La tête

La tête d'un papillon comprend une paire d'antennes (1), deux yeux bombés (2), un jeu de palpes labiaux (3) et une longue trompe enroulée (4). La tête des papillons présente des formes très variées, mais son organisation reste fondamentalement la même pour tous.

La trompe

Les Sphinx, comme celui ci-dessous, ont une trompe particulièrement longue pour aspirer le nectar au fond des fleurs aux corolles profondes. La plupart des papillons sont, à l'état adulte, des buveurs de nectar, mais il en est qui sucent les fruits et même les cadavres d'animaux.

L'insecte adulte qui émerge de la chrysalide est si différent de la chenille dodue et poilue qui y était entrée, qu'il est difficile de croire qu'il s'agit du même animal. Pourtant, tous les organes du papillon existaient déjà dans la chenille; ils sont seulement arrangés sous une forme entièrement nouvelle.

Un des éléments les plus visibles sur la tête des papillons sont ses grands yeux. Ils permettent à l'insecte de détecter le plus léger mouvement des ennemis tapis à l'affût. Les papillons ont une vision beaucoup plus large dans le spectre des couleurs que l'homme. Leur trompe est un long tube grâce auquel ils aspirent les liquides, eau ou nectar des fleurs. Un autre organe important de la tête est la paire d'antennes. Celles-ci sont fines et renflées au bout chez les papillons diurnes, plumeuses ou duveteuses chez les nocturnes. Les antennes participent aux sens de l'odorat et du toucher.

Les pattes et les ailes sont attachées au thorax qui se compose de trois éléments, chaque paire de pattes correspondant à l'un des segments. Le segment médian porte, de plus, la paire d'ailes antérieures, le segment arrière porte les ailes postérieures. La paroi externe du thorax forme une carapace rigide; à l'intérieur se trouvent les muscles moteurs des ailes et des pattes. Les ailes sont faites de deux membranes plates entre lesquelles se trouve un réseau de canaux ou veines; elles sont couvertes d'écailles pigmentées et souvent brillamment colorées qui s'imbriquent les unes sur les autres comme les tuiles d'un toit.

L'abdomen mou représente environ la moitié du corps. Il est composé de dix segments. Ses flancs portent de chaque côté de petits orifices respiratoires, les stigmates. Dans l'abdomen se trouvent le système nerveux, les intestins et les organes de la reproduction.

Les parties du corps d'un papillon
Lorsqu'il est posé, ce Papillon à queue pourpre de Nouvelle-Guinée replie ses ailes verticalement au-dessus de son dos. C'est la position habituelle des papillons diurnes au repos. Les diverses parties de son corps sont bien visibles :

1. Tête
2. Œil composé
3. Antennes
4. Trompe
5. Thorax
6. Pattes
7. Abdomen
8. Aile antérieure
9. Aile postérieure

13

Identification

Les couleurs éclatantes qui rendent bien des papillons si visibles et les empêchent de se cacher, leur sont utiles d'une autre façon. Les papillons ont une excellente vision des couleurs. Les marques brillantes de ces Ornithoptères leur permettent de se reconnaître facilement. Les coloris aident les mâles à identifier les femelles; et le mâle vagabond qui pénètre sur le territoire d'un autre est vite repéré ainsi.

14

De l'usage des couleurs

La principale utilité des couleurs est de permettre la reconnaissance spécifique. Chaque individu a besoin de savoir reconnaître ceux de sa propre espèce. Les mâles doivent également distinguer les autres mâles de leur espèce, qui sont chassés, des femelles qui sont invitées à rester. L'importance de la reconnaissance visuelle chez les papillons est montrée par le fait qu'ils peuvent même voir la lumière ultraviolette invisible à l'œil humain.

Un autre usage primordial de la lumière est consacré à la protection individuelle. Cela peut se faire de plusieurs façons et principalement par le déguisement et le camouflage. En vol, les papillons cherchent habituellement à échapper aux prédateurs par la fuite, mais ils sont bien plus vulnérables au repos. La coloration est donc un moyen vital de protection pour beaucoup d'éspèces qui deviennent mimétiques au moment où elles se posent.

Chez les papillons nocturnes, le camouflage se trouve sur la face supérieure de l'aile antérieure car les ailes au repos sont étalées, avec la paire postérieure repliée sous l'antérieur. Les papillons diurnes, au contraire, se reposent avec les ailes fermées à la verticale; les couleurs protectrices se trouvent donc sur la face inférieure des ailes antérieures et postérieures.

Il ne suffit pas que la couleur du papillon corresponde à celle de son support habituel, il faut aussi que la forme de son corps soit rompue par des taches, des traits et des mouchetures qui se confondent avec le milieu. Des papillons nocturnes noir et blanc ressemblent, au posé, à des fientes d'oiseaux. D'autres imitent des rameaux, des feuilles mortes ou des taches de lumière.

Certains papillons ne cherchent pas à se cacher, mais au contraire ils mettent leurs ennemis en garde en les effrayant. Les combinaisons de noir et de jaune ou de noir et de rouge forment les colorations d'avertissement habituelles. Un bon nombre d'espèces en use avec profit.

Camouflage
Une des fonctions les plus importantes de la pigmentation du papillon est d'assurer son camouflage aux yeux de ses ennemis. Les dessins du Bombyx Diloba caeruleocephala se fondent parfaitement sur l'écorce brun grisâtre des arbres.

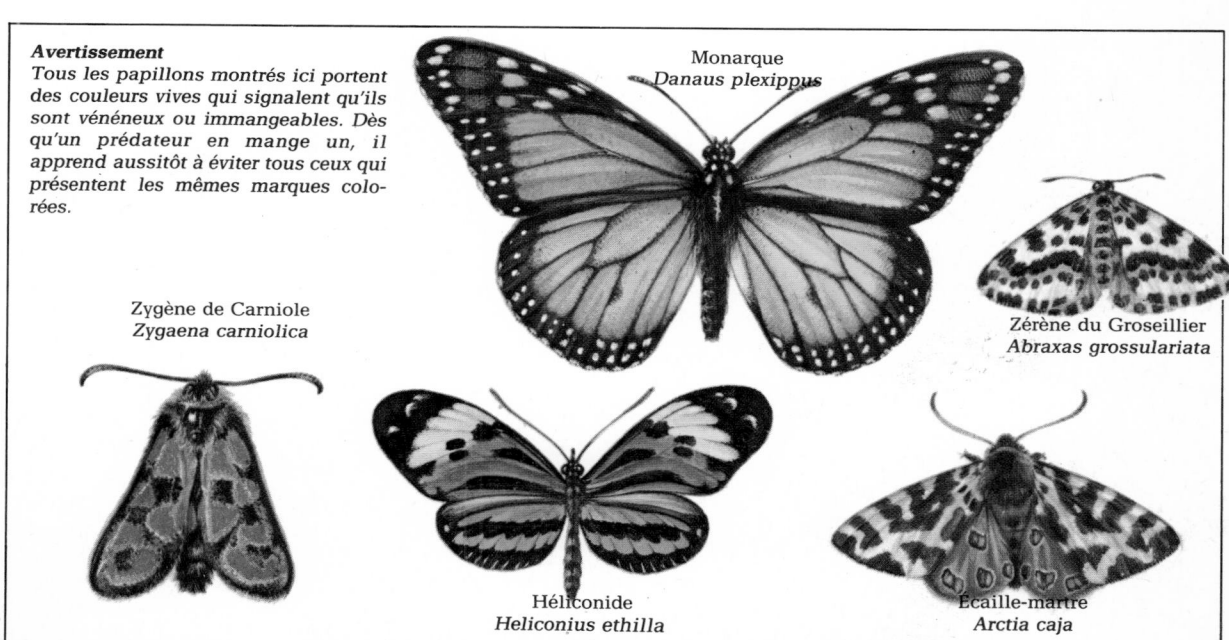

Avertissement
Tous les papillons montrés ici portent des couleurs vives qui signalent qu'ils sont vénéneux ou immangeables. Dès qu'un prédateur en mange un, il apprend aussitôt à éviter tous ceux qui présentent les mêmes marques colorées.

Monarque
Danaus plexippus

Zygène de Carniole
Zygaena carniolica

Zérène du Groseillier
Abraxas grossulariata

Héliconide
Heliconius ethilla

Écaille-martre
Arctia caja

De la nature des couleurs

Écailles et coloration
Les écailles des ailes peuvent avoir une forme allongée ou arrondie, avec le bord opposé à leur base dentelé. Elles sont colorées par les pigments chimiques qu'elles contiennent.

Les couleurs éclatantes et les dessins minutieux qui ornent les ailes des papillons forment l'un des spectacles les plus étonnants de la nature. Ces brillants coloris sont dus aux milliers d'écailles minuscules qui recouvrent les ailes. Ces écailles forment des rangées qui se chevauchent comme des tuiles. Chaque écaille représente véritablement l'élément de base; elle est aplatie et possède un pied qui s'ajuste dans une encoche de la charpente de l'aile. Lorsque l'on touche un papillon, les écailles frottées tombent en laissant une fine poussière colorée sur les doigts.

Les écailles sont riches en pigments chimiques. Le plus commun de ces pigments est la mélanine, qui produit les teintes noires et brunes. D'autres pigments donnent aux ailes leurs couleurs blanches, jaunes, rouges, orange et vertes. La coloration n'est pas produite seulement par les pigments; la façon dont les écailles sont disposées joue aussi un rôle. La lumière est réfléchie sur la surface des ailes en se décomposant selon les lignes de réfraction. On peut voir sous le microscope que les écailles sont disposées en lignes. La lumière qui frappe ces rangées subit une dispersion orientée en conséquence. C'est ce qui donne aux ailes leurs reflets irisés. Et avec le mouvement de l'aile, ces couleurs semblent varier d'intensité. Les teintes métallisées bleues, vertes et blanches sont généralement dues à un tel arrangement des écailles.

Les autres couleurs sont, pour la plupart, le fait de pigments. Certaines écailles sont transparentes; elles donnent à la surface des ailes une brillance pouvant créer un éclat métallique ou satiné ou un velouté profond. Beaucoup de papillons présentent des coloris de ces deux sortes : couleurs structurales produites par le relief de la surface des ailes et couleurs pigmentaires. Certains jolis papillons tropicaux sont d'un noir velouté intense, mais lorsqu'ils voltigent à travers un rayon de soleil, il semblent exploser en éclairs bleus et verts éblouissants. Ces couleurs éclatantes ne font pas seulement nos délices, elles aident les papillons à rencontrer leurs partenaires et assurent leur protection.

Structure et coloration
Le Sasakia charonda, emblème national du Japon, (à gauche) et le Grand-Mars Apatura iris (ci-dessus) possèdent un coloris particulier dû à la structure de leurs ailes. Leurs reflets iridescents sont produits par la réfraction de la lumière sur la surface des écailles.

16

Variation

On note chez toutes les espèces de papillons une certaine variation dans les couleurs et les dessins. Ces variations présentent tous les intermédiaires. Elles correspondent à, par exemple, la variété de couleurs des cheveux chez les hommes. Le Corydon Lysandra coridon est réputé pour son large éventail de coloration.

Espèces et sous-espèces

Lorsque des papillons se trouvent isolés durant une longue période, certaines petites variations de dessin se fixent. Les populations qui diffèrent ainsi sont appelées des sous-espèces. Les deux formes ci-contre d'Apollon Parnassius apollo sont dues à l'isolement de leurs habitats.

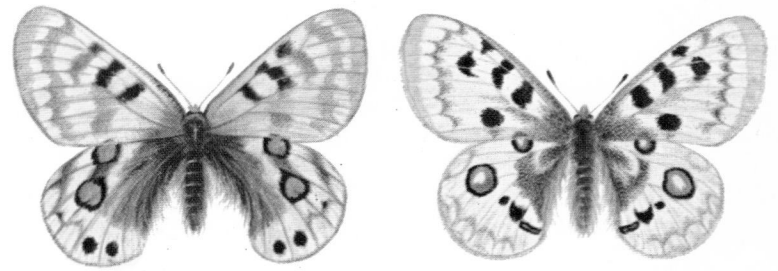

Phases

La couleur et la taille des papillons tendent à varier selon la saison. Certaines espèces montrent une différence complète entre les générations du printemps et de l'été. Un exemple de variation extrême est donné par les formes de saison des pluies (à gauche) et de saison sèches (à droite) de ce Precis africain.

Dimorphisme

On parle de dimorphisme sexuel lorsque dans une même espèce, ici un Hypolimnas d'Australie, le mâle et la femelle ont un aspect différent.

Les maîtres du camouflage

De même que lorsqu'ils étaient chenilles, les papillons adultes utilisent toutes sortes de ruses pour échapper aux prédateurs. Les Papillons-feuilles des tropiques montrent l'un des exemples les plus étonnants de camouflage : la ruse subtile du *Kallima* consiste à se confondre avec son environnement. Ce grand papillon, bien visible en vol, disparaît littéralement dès qu'il se pose. Lorsque ses ailes sont repliées, le brun terne du dessous de ses ailes lui donne l'aspect d'une feuille morte. Ce papillon se pose normalement dressé sur les branches, mais selon certains naturalistes il se poserait aussi au sol dans une position couchée, tel une feuille tombée.

D'autres papillons diurnes et les nombreux papillons nocturnes qui passent le jour au repos se tiennent camouflés grâce à leurs colorations cryptiques. Il s'agit de dessins marbrés ou striés qui se fondent dans l'environnement naturel. En Grande-Bretagne, la Phalène du Bouleau *Biston betularia* fournit un curieux exemple d'adaptation des couleurs. La forme la plus commune était d'un gris clair marbré de noir qui se confondait parfaitement avec l'écorce des arbres couverts de lichens. Actuellement, la forme noire est devenue la plus abondante dans les zones urbaines où elle se confond mieux sur les arbres couverts de suie.

L'évanescent Kallima
Le Kallima imite à la perfection une feuille morte avec ses nervures. Posé sur un rameau, les ailes repliées, il semble s'être évanoui dans la nature.

Taches de couleur

Quand un papillon nocturne tel que le Brephos parthenias (1) est levé, l'attention du prédateur est fixée sur les vives taches orangées des ailes postérieures. Lorsque le papillon se pose (2), les taches de couleurs disparaissent et son poursuivant reste tout désorienté.

Couleurs cryptiques

Certains dessins aident les papillons à se fondre dans leur environnement. C'est le cas de ces papillons nocturnes (à gauche) qui disparaissent sur l'écorce des arbres où ils s'agrippent.

Effets de surprise

Les marques vives sur les ailes postérieures de certains papillons nocturnes surprennent les prédateurs et leur donnent une chance d'y échapper. Le papillon du Ver à soie Bombyx mori possède deux immenses yeux, très impressionnants, sur ses ailes postérieures (3).

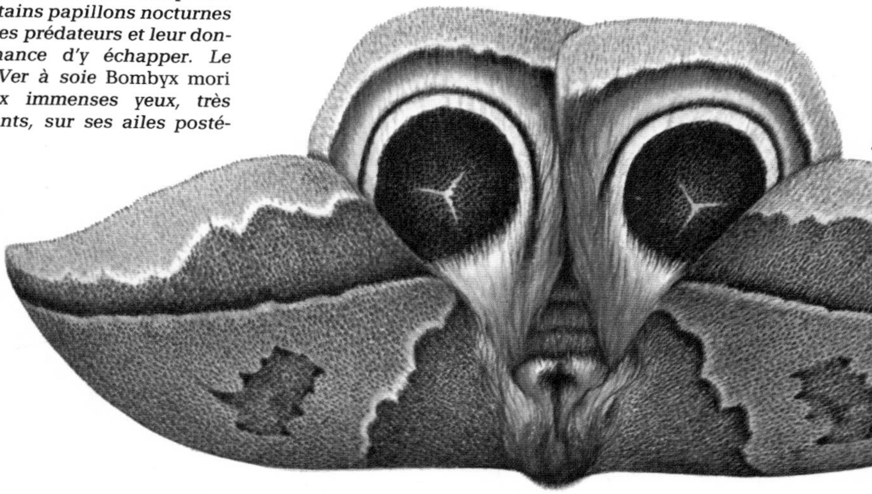

Autres ruses

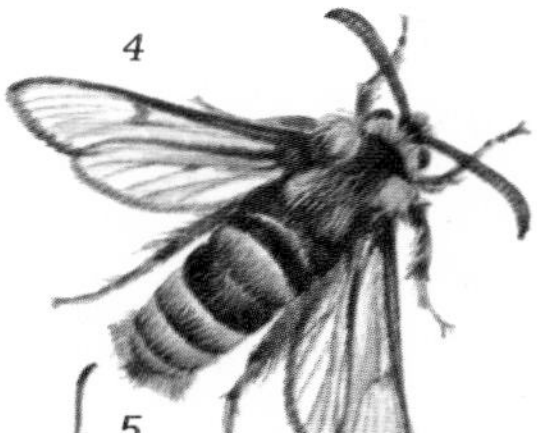

Un autre mode de protection est assuré par le mimétisme. Les abeilles et les guêpes sont évitées par la plupart des prédateurs à cause de leur aiguillon. Pour cette raison, des papillons ont trouvé pratique de les mimer. Le Sphinx Macroglossa bombyliformis (4) ressemble à un bourdon. Aegeria apiformis (5) imite une guêpe. Cette Noctuelle (6) imite une araignée et pousse le mimétisme jusqu'à déplacer ses pattes de côté à la manière des araignées. Le Cithaerias est un papillon diurne du Brésil aux allures fantomatiques; ses ailes transparentes le rendent à peu près impossible à repérer (7)

Mimes et imitateurs

Il existe de nombreux exemples dans la nature d'êtres qui se ressemblent beaucoup par leur aspect, mais qui peuvent n'avoir aucune parenté entre eux. Par exemple, certaines Sésies sont parfaitement identiques aux abeilles, bien qu'elles soient des papillons nocturnes. Cette sorte d'imitation est appelée mimétisme.

Comme tout ce qui concerne les couleurs et les dessins des papillons, le rôle du mimétisme est protecteur. Une espèce, que l'on peut considérer comme le modèle, sera particulièrement apte à survivre grâce à son mauvais goût, et son vol peut donc être lent. Une autre espèce, qui l'imite, peut être parfaitement comestible, car en mimant la coloration ou l'allure du modèle nocif elle acquiert une forte chance de tromper ses ennemis. Ceux-ci auront appris par expérience combien l'espèce modèle est désagréable et tout papillon semblable sera pareillement évité. Cette situation, dans laquelle une espèce vulnérable mime une espèce bien protégée, est appelée mimétisme batésien en l'honneur du naturaliste Henry Bates qui fut le premier à attirer l'attention sur ce phénomène lors de ses remarquables explorations dans le bassin amazonien au milieu du XIXᵉ siècle.

Un autre mode d'imitation est connu sous le nom de mimétisme mullérien en l'honneur du naturaliste allemand qui étudia la question peu après Bates. F. Muller nota qu'il existait souvent de fortes similitudes entre divers papillons diurnes et nocturnes, tous bien protégés par leur poison ou leur mauvais goût. Il montra qu'en dépit des apparences, il existait un avantage à cette situation. En effet, les oiseaux et autres prédateurs apprennent uniquement par expérience et chaque individu doit déterminer par lui-même ce qu'il peut chasser. Cela signifie que tous les insectes auront un taux de mortalité inévitable. Mais, pour l'ensemble des papillons qui se ressemblent, les prédateurs n'auront besoin d'avoir qu'une expérience pour rejeter en bloc toutes ces espèces vénéneuses, au lieu d'avoir à apprendre à reconnaître chacune d'entre elles.

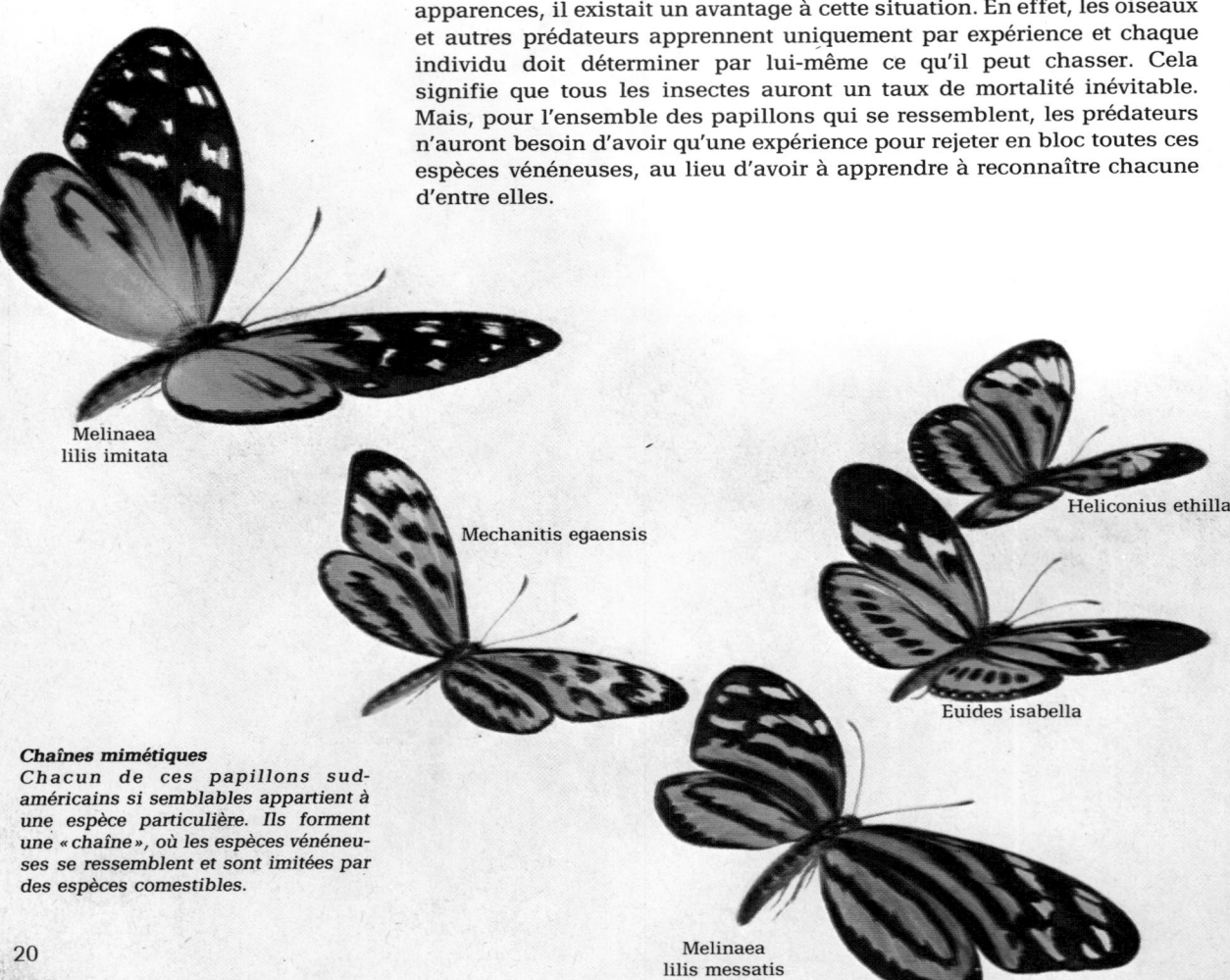

Melinaea
lilis imitata

Mechanitis egaensis

Heliconius ethilla

Euides isabella

Melinaea
lilis messatis

Chaînes mimétiques
Chacun de ces papillons sud-américains si semblables appartient à une espèce particulière. Ils forment une « chaîne », où les espèces vénéneuses se ressemblent et sont imitées par des espèces comestibles.

Mimétisme batésien

Cet Alcidis, papillon «nocturne» de Nouvelle-Guinée (à droite), est immangeable pour la plupart des prédateurs. Il est mimé par un Papilionide, papillon diurne parfaitement comestible, qui n'imite pas seulement avec une grande exactitude son dessin, mais aussi ses allures en vol. L'imitation d'une espèce bien protégée par une autre plus vulnérable est appelée mimétisme batésien. C'est un excellent moyen pour une espèce inoffensive d'échapper aux prédateurs qui ont appris à leur détriment à éviter leurs homologues désagréables. L'imitateur est toujours beaucoup plus rare que son modèle immangeable.

Mimétisme mullérien

Quand plusieurs espèces bien différentes ont en commun une qualité naturelle, comme d'avoir mauvais goût, elles peuvent néanmoins présenter un système semblable de coloration et de dessin. Par exemple, les Melinaea (voir ci-dessous) sont désagréables au goût pour la plupart des prédateurs. En présentant un même aspect, d'autres papillons immangeables permettent aux prédateurs d'apprendre plus vite à éviter ces papillons rien qu'à leur vue.

Alcidis agarthyrsus

Papilio laglaizei

Napeogenes apobsoleta

Hypothyris fluoria berna

Heliconius ethilla

Lycorea ceres

21

La journée d'un papillon

Les papillons diurnes paraissent, à un observateur peu attentif, voleter sans but, de fleur en fleur. D'ailleurs, le verbe papillonner a été créé pour qualifier des activités peu sérieuses. Pourtant, une observation plus suivie révélerait bientôt que toutes les activités des papillons sont bien délibérées. Qu'ils effectuent de courts déplacements journaliers de fleur en fleur à la recherche de leur nourriture ou qu'ils entreprennent de longues migrations, les papillons ne vont jamais au hasard.

La majorité des papillons diurnes ont besoin d'un soleil chaud pour être actifs. On peut les surprendre d'abord au petit matin, frileusement agrippés au feuillage, attendant qu'un rayon de soleil échauffe leur corps. Comme les reptiles, ils ont le sang froid et sont dépendants de la température externe pour leur chaleur. Dans les climats tempérés, ils sont évidemment plus actifs autour de midi et dans l'après-midi, quand le soleil est le plus chaud. Sous les tropiques, leur rythme d'activité tend à être plus variable.

Les Ithomides, groupe de papillons diurnes vivant dans les forêts tropicales, ont un cycle journalier bien déterminé. Ils visitent les fleurs pour se nourrir au petit matin, dès qu'il fait jour, et en fin d'après-midi. Les parades et la ponte ont lieu habituellement quand le soleil est vers le sommet de sa course. Au plus chaud de la journée, les femelles prospectent les alentours pour repérer les plantes hôtes qui conviendront le mieux pour recevoir les œufs.

Certains papillons adoptent un horaire si rigide qu'ils peuvent être rencontrés sur la même fleur, chaque jour à la même heure. Sous les climats chauds, bien des papillons se mettent à l'ombre au milieu du jour ou, s'ils doivent rester au soleil, ils font face au soleil avec leurs ailes repliées de façon à exposer la plus petite surface possible aux rayons solaires. La nuit et sous les fortes averses, les papillons s'abritent généralement sous une feuille ou une branche. La plupart des espèces sont solitaires, mais certaines se rassemblent en dortoirs pour la nuit.

22

Horaires biologiques

L'étude suivie de l'Heliconius penelope
d'Amérique tropicale a montré que son
comportement change de façon très
régulière au cours de la journée. Ce
papillon dort en groupe. Lorsque le
soleil le réveille, il commence par
ouvrir ses ailes pour se réchauffer
dans ses rayons (1). Alors, il part en
vol butiner les fleurs jaunes (2); celles
qui se balancent mollement sous la
brise l'attirent davantage. Au milieu de
la matinée, ayant satisfait son appétit
grâce au nectar des fleurs jaunes, il
s'intéresse alors aux couleurs rouges.
Ces papillons sont attirés mutuelle-
ment par les taches rouges de leurs
ailes antérieures; mâles et femelles se
lancent dans des valses aériennes,
acrobatiques préludes à l'accouplement (3). Les partenaires qui se sont
trouvés (4) s'accouplent dans la position typique, accolés queue contre
queue (5). Plus tard, lorsque les femelles sont prêtes à pondre, elles se
mettent à la recherche des Passiflores
rouges sur les feuilles desquelles elles
déposent leurs œufs (6). Ces plantes
sont vénéneuses et la chenille qui s'en
nourrira deviendra aussi immangeable. Plus tard dans la journée, le
papillon retourne se nourrir sur les
fleurs jaunes (7).

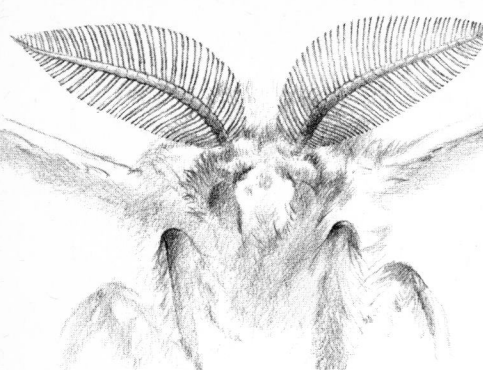

La nuit d'un papillon

Récepteurs olfactifs
Les papillons nocturnes mâles doivent trouver les femelles dans l'obscurité, en se guidant seulement à l'odorat. Leur paire d'antennes ultra-sensibles permet la détection de l'odeur d'une femelle à une distance pouvant atteindre 8 km.

Les papillons nocturnes volent de nuit et c'est ce qui fait leur principale différence avec les papillons diurnes. Les quelques « nocturnes » qui volent de jour sont brillamment colorés et très semblables aux papillons diurnes. Néanmoins, la majorité des papillons nocturnes sont parfaitement équipés pour se déplacer dans l'obscurité. Les mâles ont en général des antennes larges et plumeuses très développées, qui sont extrêmement sensibles aux odeurs. Les mâles de certaines espèces peuvent même détecter leurs femelles à plusieurs kilomètres de distance. Les femelles émettent leurs senteurs en permanence, mais dans la journée l'odeur est perdue, entraînée vers le ciel par l'air chaud qui monte du sol. C'est au crépuscule, lorsque la température tombe et que la nappe d'air refroidi stagne au-dessus de la terre, que les odeurs ont leur meilleure efficacité. L'obscurité est donc le moment le plus favorable aux mâles pour chercher les femelles.

Beaucoup de papillons nocturnes suivent, comme les diurnes, un horaire déterminé. Certains sont actifs en début de soirée, d'autres à l'aube, d'autres enfin attendent la nuit noire. Certains volent haut et vite au-dessus de la couronne des arbres, d'autres rasent le sol d'un vol mou. Certains sont dehors par tous les temps, d'autres évitent les grands vents ou les fortes pluies. Peu aiment la clarté de la pleine lune. Les papillons nocturnes se repèrent sans difficulté grâce à leurs grands yeux, très efficaces, sensibles même à la lumière ultraviolette et assurant une vision très fine des détails. Nous n'imaginons pas à quoi peut ressembler une forêt sous la nuit aux yeux d'un papillon nocturne. Le paysage est en effet animé de couleurs que nous ne voyons pas. Par exemple, certaines fleurs que nous voyons toutes blanches brillent aussi de reflets dans l'ultraviolet auquel les papillons nocturnes sont sensibles.

Une journée dans la nuit

Les papillons nocturnes se nourrissent du nectar des fleurs peu colorées. Ils sont attirés aussi par les fleurs aux fortes senteurs, comme le Chèvrefeuille, ci-dessous à gauche, où butine un *Demi-Paon Sphinx ocellata*. Mais leur extraordinaire habileté à se mouvoir de nuit est surtout mise à profit pour la recherche des partenaires et la reproduction. La femelle de *Dasychira pudibunda* sur le tronc à droite attire les mâles par son odeur. Les papillons nocturnes sont actifs la nuit avec bien d'autres animaux, dont certains, telles les chauves-souris, sont leurs ennemis. Heureusement, de même qu'ils peuvent détecter des couleurs invisibles à l'œil humain, certains papillons de nuit peuvent entendre les ultra-sons émis par les chauves-souris et inaudibles à notre oreille. Les Noctuelles possèdent des récepteurs auditifs sur les côtés de leur thorax; ces «oreilles» permettent la réception des ultra-sons émis par les chauves-souris. Ici, au premier plan, une *Lichénée du Frêne Catocala fraxini* plonge pour éviter une chauve-souris. Il semble que chaque espèce de papillon nocturne ait des horaires de vol assez bien définis; certains préfèrent les heures crépusculaires, alors que d'autres ne sortent qu'à la nuit noire.

Le Monarque

Le Monarque est un papillon diurne d'Amérique du Nord qui migre sur des milliers de kilomètres tous les ans pour atteindre ses quartiers d'été. A l'automne, la nouvelle génération retourne vers le sud.

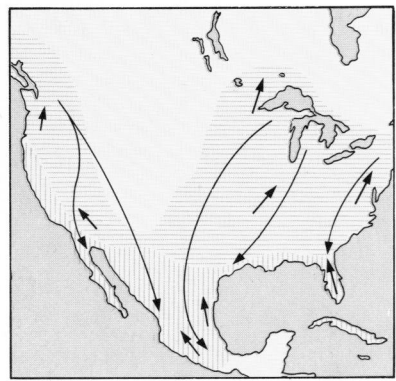

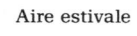

Aire estivale

Aire hivernale

La grande invasion

Au printemps, des nuées de Belle-Dame se dirigent vers le nord, depuis l'Afrique du Nord et le Moyen-Orient jusqu'en Europe au-delà de la puissante barrière des Alpes. Une migration réduite est constituée par le retour vers le sud d'une partie de leurs descendants à l'automne. La migration de la Belle-Dame est due à la surpopulation plutôt qu'à un comportement saisonnier.

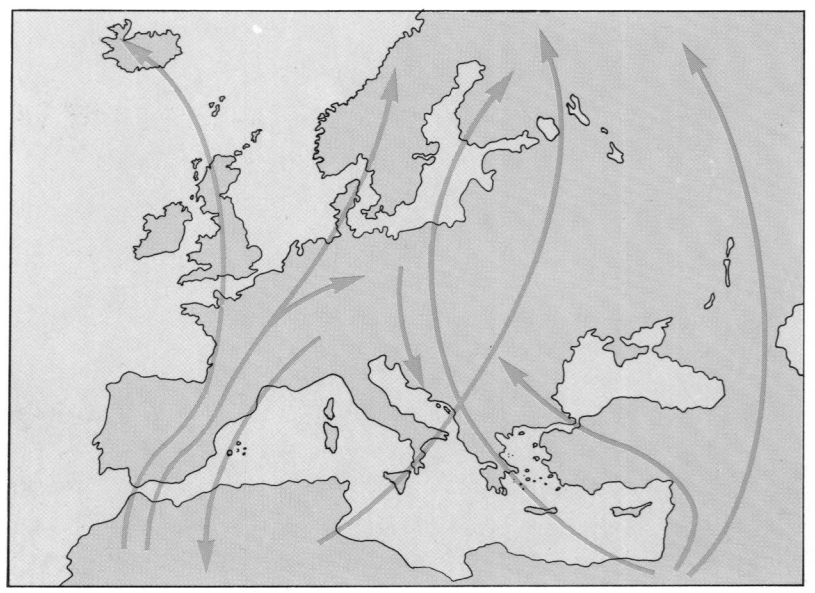

Migrations

Beaucoup de papillons pondent leurs œufs en grappes, déposant parfois plusieurs centaines d'œufs à un même endroit. Les chenilles qui éclosent colonisent toutes les plantes avoisinantes. Enfin, lorsque les papillons adultes émergent, ils commencent évidemment par se disperser pour éviter la surpopulation. Des expériences locales de marquage ont montré que les papillons ont tendance à se déplacer dans le sens du vent. Dans l'hémisphère Nord, toutefois, on note que les mouvements sont orientés plutôt vers le nord pendant l'été.

Sous les climats tempérés, beaucoup de papillons ne peuvent survivre en hiver, même sous forme d'œuf ou de chrysalide. Leurs populations doivent donc être renouvelées chaque printemps par une immigration venant du sud. En Europe, un exemple remarquable est fourni par la Belle-Dame *Vanessa cardui*. Chaque printemps, des nuées s'élancent vers le nord depuis les régions méditérranéennes et à travers les Alpes.

Encore plus spectaculaires sont les migrations du Monarque *Danaus plexippus*. Des hordes de cet élégant papillon traversent chaque printemps l'Amérique du Nord; leur arrivée est si impressionnante qu'elle constitue une attraction touristique et ces papillons sont même protégés légalement dans certains États.

Sous les tropiques, des migrations ont lieu régulièrement entre les régions désertiques et forestières. En Australie, le « Bogong » tombe en léthargie pendant l'été dans les grottes des montagnes, en attendant que le temps se rafraîchisse : à l'automne, il sort et migre en grand nombre dans les régions basses.

Les migrations procurent aux naturalistes l'occasion très excitante de rencontrer des papillons diurnes et nocturnes dans des pays et des sites où ils sont rares et inattendus. D'autre part, la technique relativement nouvelle du marquage des papillons permet d'en apprendre plus sur leurs migrations et fournit une occasion de recherches très instructives pour tous ceux qui veulent observer leur comportement.

Visiteurs occasionnels
Le Sphinx tête de mort Acherontia atropos vit et se reproduit en Europe méridionale, mais beaucoup migrent vers le nord de l'Europe en été.

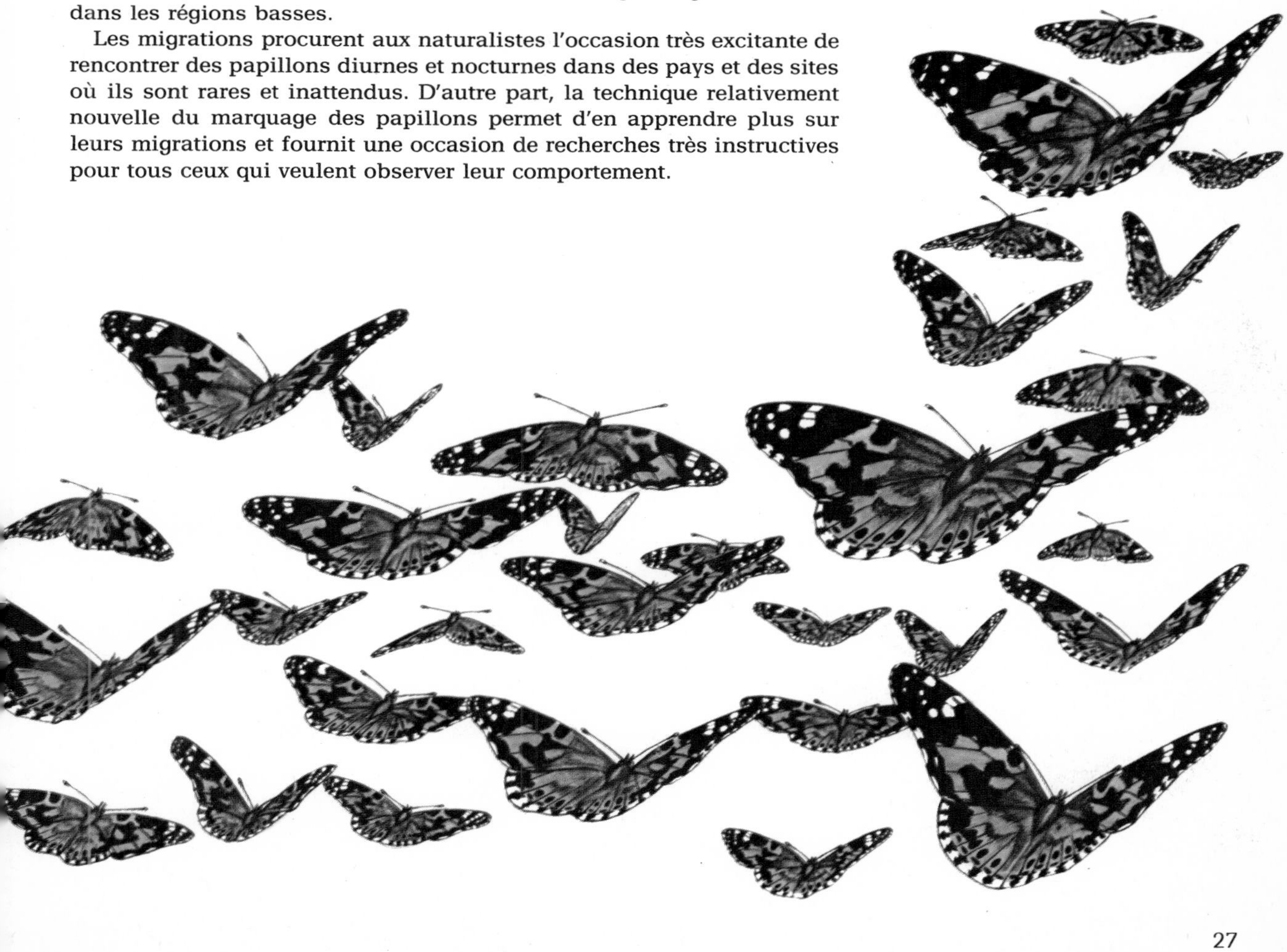

Amis et ennemis

Les papillons ne constituent pas seulement un plaisir pour les yeux. Certes, ils ne piquent ni ne mordent et ils ne consomment rien ayant une valeur pour l'homme. Mais, malheureusement, certaines espèces de papillons commettent de sérieux dégâts lorsqu'elles sont à l'état larvaire. Les chenilles sont en effet très voraces et ce sont toujours elles, et non les papillons adultes, qui sont à blâmer. Les chenilles éclosent aussi massivement, ce qui les rend particulièrement dangereuses par leurs attaques dévastatrices sur les cultures.

L'un des parasites les plus destructeurs est la Piéride du chou. Sa chenille dévore les choux, les choux-fleurs et les crucifères. Ce papillon était, à l'origine, cantonné aux régions tempérées d'Europe et d'Asie, mais il s'est répandu largement depuis un siècle. En 1887, il était introduit accidentellement en Amérique du Nord et, au début de la Seconde Guerre mondiale, il parvenait en Australie. Il est désormais bien implanté sur ces deux continents.

D'autres ravageurs de cultures sont les chenilles de diverses Piérides et de certains papillons de nuit. Elles peuvent s'attaquer aussi aux pâturages et ravager les foins lorsqu'elles pullulent. Une autre espèce, la Tordeuse du pin *Evetria buoliana*, occasionne de grands dégâts dans les pinèdes. Les chenilles ne s'attaquent pas seulement aux plantes, elles peuvent aussi dévorer les graines récoltées et toutes sortes de fibres naturelles. En contrepartie et heureusement pour nous, de nombreuses chenilles se nourrissent surtout de mauvaises herbes.

Si on examine le bon côté des choses, il faut reconnaître que les Lépidoptères sont utiles de bien des façons. Les papillons adultes jouent

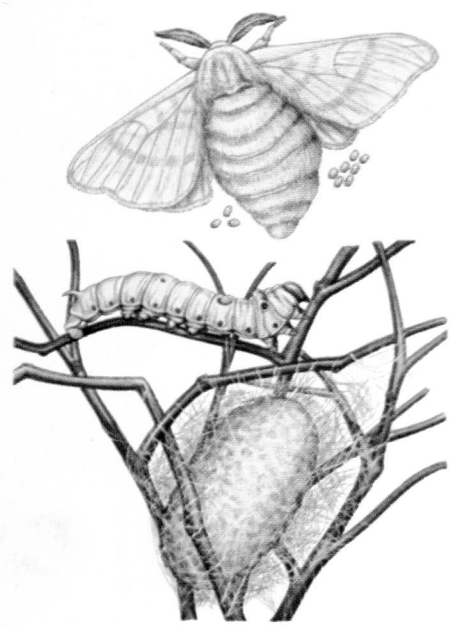

Ver à soie
Le Ver à soie est élevé depuis des siècles dans des fermes spéciales. Quand la chenille est prête à se transformer en chrysalide, elle file un cocon de soie brute.

Parasites
Les chenilles les plus dévastatrices sont celles de la Piéride du chou Pieris brassicae *(1), de la Pyrale des pommes* Carpocapsa pomonella *(2), de la Phalène du pin (3) et de l'Alucite* Sitotroga cerealella *(4).*

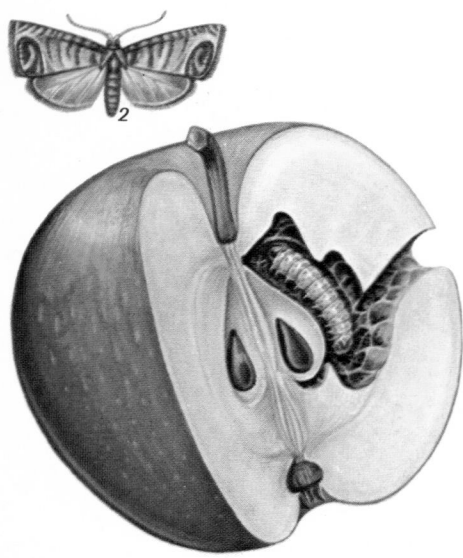

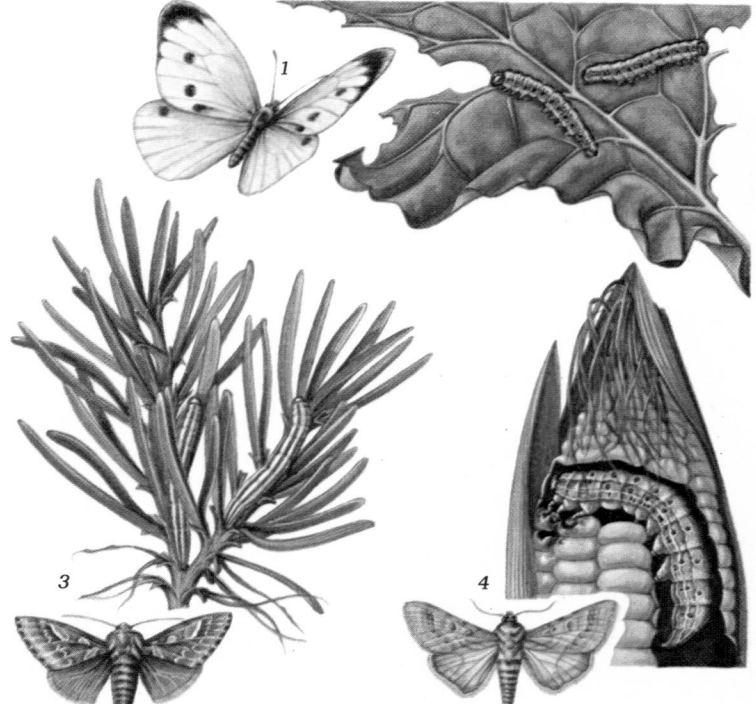

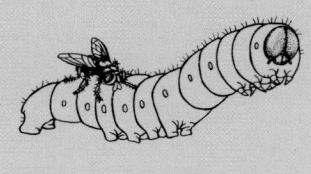

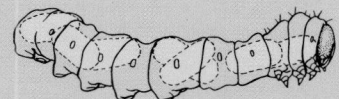

Les Tachinides
Les mouches Tachinides pondent leurs œufs sur la peau des chenilles et leurs larves s'enfonceront dans le corps de la chenille.

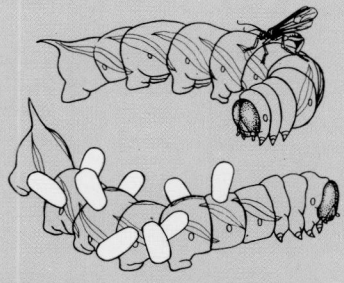

Les Ichneumons
L'Ichneumon pond dans le corps de la chenille qui sera dévorée par les larves qui en sortiront.

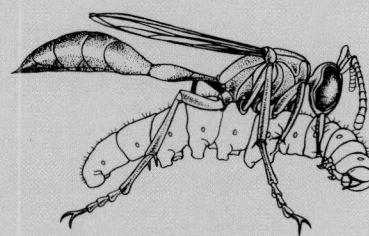

Guêpes et araignées
Les guêpes et les araignées se nourrissent de chenilles ou s'en servent comme nourriture pour leurs larves.

un rôle capital de pollinisateurs des plantes à fleurs. Une des espèces les plus immédiatement utiles est peut-être le Ver à soie *Bombyx mori*. Élevée d'abord en Chine, sa chenille est nourrie de feuilles de mûrier. Lorsqu'elle se prépare à se métamorphoser, elle file un cocon de soie qui sert à faire de beaux tissus, doux et brillants.

Les Lépidopères occupent aussi une place importante dans l'équilibre de la nature. Se nourrissant de plantes, ils constituent en contrepartie la principale ressource alimentaire de très nombreux autres animaux, en particulier oiseaux, chauves-souris et autres mammifères insectivores, reptiles et même divers autres insectes. Ce sont les chenilles qui paient le plus lourd tribut. Curieusement, certains de leurs ennemis les plus acharnés sont les fourmis. Sous les tropiques, d'énormes quantités de chenilles sont capturées par des fourmis au cours de raids. A la différence de beaucoup de prédateurs, les fourmis ne sont pas gênées par les chenilles vénéneuses.

Les insectes parasites sont encore plus dangereux pour les chenilles. Ils déposent leurs œufs à la surface ou à l'intérieur des chenilles, ainsi que des chrysalides ou des œufs de papillons. A l'éclosion, la larve du parasite s'enfonce dans son hôte dont elle dévore le corps. Certaines familles de guêpes et de mouches sont les parasites les plus communs. La guêpe braconide est particulièrement redoutable. La femelle perce la peau d'une chenille avec sa tarière de ponte et dépose de nombreux œufs dans le corps de la chenille; ces œufs éclosent et les larves de guêpe dévorent le corps dodu de la chenille; celle-ci finira par mourir de cette opération.

Oiseaux
Les oiseaux insectivores, comme cette mésange, sont de grands consommateurs de chenilles.

Des mesures de protection

Un été sans papillons serait aussi triste qu'un jardin sans fleurs; et, du point de vue de la Nature, la disparition des papillons serait une grave perte. En effet, beaucoup de plantes à fleurs dépendent largement des papillons diurnes et nocturnes pour être fécondées.

A part leurs prédateurs naturels, contre lesquels les Lépidoptères sont bien armés pour se défendre, leur plus dangereux ennemi est l'homme. Dans le passé, d'avides collectionneurs avaient pour occupation d'entasser des milliers de spécimens, y compris les espèces les plus rares. Aujourd'hui, ce genre d'étude est tombé en désuétude et les amateurs de papillons s'efforcent plutôt de les observer, les photographier et même les faire se reproduire. La principale menace pour la survie des papillons vient de la destruction généralisée de leurs habitats naturels. Chaque année, des milliers d'hectares de campagne sont occupés par de nouvelles routes et des constructions et il y a de moins en moins de terrains sauvages sur terre. Il s'ajoute à cela les programmes d'épandage massif de pesticides destinés à protéger les cultures de leurs ennemis et à les éliminer même de leurs milieux naturels. L'usage des herbicides et des insecticides a causé des destructions énormes de papillons. Seul un effort concerté de protection de leurs habitats favoris évitera que les papillons ne subsistent plus que dans quelques sites.

Dans le jardin
L'été, le nectar sucré des fleurs de Buddleia *fait d'un jardin le repaire favori des papillons.*